D1158634

comptines parlées et chantées

Textes de Marie Tenaille
Musique de Jacques Berthier
Illustrations d'Édith Barker

Editions Fleurus, 31 rue de Fleurus, Paris 6e

DANS LA MÊME SÉRIE

1. Jeux « utiles » pour 2 à 6 ans
2. L'histoire et les petits
3. Premiers modelages
4. Comptines d'hier et d'aujourd'hui
5. Formulettes pour jouer et chanter
6. Jeux faciles pour petits
7. Des histoires à mimer
8. Terrains et parcs à jeux pour petits
9. Premiers découpages
10. Sensibiliser les petits à la nature
11. Mon cahier de chansons
12. Activités manuelles avec des « fils »
13. Voici des rondes
14. Les petits fabriquent leurs jeux
15. Des histoires pour les moins de 6 ans
16. Activités manuelles avec du papier
17. Premiers chants, premiers rythmes
18. Jeux d'organisation dans l'espace
19. Comptines parlées et chantées

DANS LA SÉRIE 100

Des idées à prendre dans :

les 5 volumes de la série **Bricolages faciles** (nos 38, 47, 67 et 71)

DANS LA SÉRIE 101

Des idées à prendre dans :

Brins de laine (n° 116)
Le papier crépon (n° 129)
Jeux de papier (n° 135)
Le non tissé (n° 136)
Avec du raphia (n° 151)
Feutrine facile (n° 153)

DANS LA SÉRIE 112

Des idées à prendre dans :

Bouchons dociles (n° 4)
Décors en papier déchiré (n° 9)
Tout en tricotin (n° 12)
Avec des pâtes alimentaires (n° 15)
Pinces à linge (n° 17)

DANS LES SÉRIES « ACTI PLANS » et « PLANS ET MODÈLES »

Des idées à prendre dans :

Jouets simples (n° 14)
Quelques masques (n° 19)

Une comptine, c'est tout un programme

Une phrase amusante, un mot qui sonne bien, une consonance nouvelle, un mot étrange et inhabituel... C'est tout un programme pour le petit enfant qui l'entend pour la première fois et se le répète pour s'amuser, pour étonner les autres.

Il le prononce pour le plaisir de s'entendre dire quelque chose d'un peu mystérieux ou insolite. C'est comme une incantation, et cela nous rappelle ces très anciennes comptines aux mots parfois incompréhensibles qui nous viennent de bien loin.

Le petit enfant qui joue ainsi avec un mot ou une phrase s'amuse souvent à les scander, à les chanter, à les transformer...

C'est avec ce goût de l'imprévu, des répétitions, et en jouant avec la sonorité des mots que l'on invente une comptine comme peuvent le faire les enfants ! Souhaitons qu'elle ne soit jamais prétentieuse.

La comptine doit rester enfantine, naïve, amusante... un peu étonnante ! Elle peut comporter des mots un peu étranges, anciens ou nouveaux, ou même inventés... mais c'est sans intention didactique.

Pourtant, la comptine est de plus en plus utilisée à l'école maternelle et pour l'animation de groupes d'enfants : elle est facile, on peut la dire ensemble, et bientôt chacun la connaît, la répète...

A partir d'une simple comptine peut avoir lieu une création collective qui durera un moment ou plusieurs jours. Chacun y participera à sa manière, car c'est aussi un jeu !

On peut la modifier, la personnaliser en changeant un mot, en ajoutant un nom propre qui aura la chance de rimer ou de bien s'ajuster. On peut la continuer, prolonger un enchaînement.

Avec une comptine on invente une chanson, une marche. On peut mimer une comptine, on peut aussi la peindre... et même la réinventer !

L'écho de cette animation autour d'une comptine va jusqu'à la cour de récréation, la rue, la maison. Car la comptine est une sorte de musique faite avec les mots à laquelle l'oreille des petits est sensible. L'enfant l'a écoutée, répétée. Il a joué avec elle. La comptine lui est devenue familière et il s'y sent à l'aise. C'est une musique rassurante qui fait partie de son « acquis » ; il est content de la ramener à la maison, d'en faire profiter les autres.

Voici un recueil de comptines, toutes faciles, destinées aux moins de 7 ans, mais elles peuvent aussi amuser les plus grands !

Nous les avons voulu très variées, et pour faciliter votre choix nous avons tenté de les classer par chapitres ou centres d'intérêt.

Pour certaines d'entre elles nous proposons une ligne mélodique très simple. Pour les autres à vous d'inventer le rythme le plus approprié.

A vous aussi de trouver celle qui fera « tilt ! » au moment voulu. Il y a quelque chose de « primitif » dans une comptine, les enfants vous aideront à les exploiter !

Table des mots-clés

Pour vous aider à trouver facilement et au moment voulu la comptine qui peut contribuer à illustrer l'activité que vous préparez, nous avons groupé par ordre alphabétique les mots-clefs de chaque comptine et vous renvoyons au texte correspondant.

A

ABEILLE : « Printemps » (page 55).

ACCORDÉON : « Le Clown » (page 32).

AILE : « Une coccinelle » (page 21).

ALPHABET : « Écolier » (page 41).

AMI : « Ton ami t'attend ! » (page 76).

ARAIGNÉE : « Chacun son tour ! » (page 76).

ARC-EN-CIEL : « Arc-en-ciel » (page 51).

ARPÈGE : « Bonhomme de neige » (page 72).

ARTICHAUT : « Artichaut nouveau » (page 59). « Brèche-dent » (page 43).

ASCENSEUR : « Vive ma tour ! » (page 42).

ASPIRATEUR : « Cœur de fée » (page 67).

AURORE : « Aurore » (page 50).

AUTOMNE : « Bonjour maîtresse ! » (page 52). « Les quatre saisons » (page 54).

AUTRUCHE : « Cruche ! » (page 78).

AVION : « Mon petit oiseau » (page 28).

B

BAGARRE : « Faisons silence ! » (page 44).

BAIGNOIRE : « Au bain ! » (page 41).

BALAI-BROSSE : « Oh ! la vilaine fée ! » (page 65).

BALLE : « Ça roule ! » (page 92).

BANANE : « Non merci ! » (page 74).

BANJO : « Charivari » (page 80).

BEIGNET : « Gros gourmand » (page 61).

BERLINGOT : « A la marchande » (page 29).

BIGOUDI : « A la marchande » (page 29).

BILLE : « Ça roule ! » (page 92).

BLEUET : « Coquelicot bravo ! » (page 54).

BOIS : « Chez moi » (page 90). « Chacun chez soi » (page 49). « Grand comme ça ! » (page 84).

BONBON : « Pas de bonbons ! » (page 62).

BONHOMME DE NEIGE : « Jeux d'hiver » (page 53). « Bonhomme de neige » (page 72).

BONNET : « Mon blanc bonnet » (page 43).

BOSSE : « Oh ! la vilaine fée ! » (page 65).

BOTTE : « Les bottes de Jacotte » (page 44). « Le loup » (page 22).

BOUILLON CHAUD : « Hiver » (page 48).

BOULANGER : « Petit pâté » (page 60).

BOULE : « Ça roule ! » (page 92).

BOURDON : « Écoutez bien ! » (page 88).

BOURRÉE : « La ronde » (page 34).

BOUTON D'OR : « Coquelicot bravo ! » (page 54).

BROUHAHA : « Charivari » (page 80).

BUCHE : « Cruche ! » (page 78).

C

CACAHUÈTE : « A la marchande » (page 29).

CACHE-CACHE : « Cache-cache » (page 33).

CAILLE : « Monsieur l'Épouvantail » (page 20).

CANARD : « Pigeon vole ! » (page 49).

CANETON : « Trois canetons s'en vont » (page 23).

CAPUCINE : « La ronde » (page 34). « Pauvre Pierrot » (page 38).

CARABOSSE : « Oh ! la vilaine fée ! » (page 65).

CARAMEL : « Noces ! » (page 68).

CARROSSE : « Oh ! la vilaine fée ! » (page 65).

CASTAGNETTES : « Drôles de marionnettes » (page 35).

CAVE : « Punition » (page 69).

CHAHUT : « Faisons silence ! » (page 44).

CHANSONNETTE : « Drôles de marionnettes » (page 35).

CHAPEAU : « Monsieur l'Épouvantail » (page 20).

CHARIVARI : « Charivari » (page 80).

CHAT : « Habille-toi ! » (page 44).

CHATON : « Écoutez bien ! » (page 88).

CHEVEUX : « Dommage ! » (page 40). « Oh, les couettes » (page 69).

CHIEN : « C'est mon petit chien » (page 91).

CHOCOLAT : « Gros gourmand » (page 61).

CHOU : « L'escargot » (page 25). « Grognon » (page 21).

CIBOULETTE : « A la marchande » (page 29).

CLEF : « Cœur de fée » (page 67).

CLOCHE : « Aurore » (page 50). « La cloche » (page 68).

CLOCHE-PIED : « Planche à roulettes » (page 30).

CLOWN : « Le clown » (page 32).

COCAGNE : « Au Pays de Cocagne » (page 58).

COCCINELLE : « Printemps ! » (page 55). « Une coccinelle » (page 21).

COCHON : « Grognon » (page 21). « Écoutez bien ! » (page 88).

COCORICO : « A l'aide ! » (page 74). « Bricolage » (page 31).

COCOTTE EN PAPIER : « Bricolage » (page 31).

COLIN-MAILLARD : « Le beau mouchoir d'Abélard » (page 46).

COLOMBINE : « Pauvre Pierrot » (page 38).

CONFITURE : « Gros gourmand » (page 61).

COQUELICOT : « Coquelicot bravo ! » (page 54).

COQUETTE : « Oh, les couettes ! » (page 69).

CORDE : « A la une ! » (page 32).

COUCOU : « Ton ami t'attend » (page 76). « Printemps » (page 55).

COUETTES : « Oh, les couettes ! » (page 69).

COURT-BOUILLON : « Chacun son tour ! » (page 64).

CROCODILE : « Premier Avril » (page 87). « Bêtises ! » (page 76).

CROUPION : « Trois canetons s'en vont » (page 23).

CRUCHE : « Cruche » (page 78).

D

DENT : « Brèche-dent » (page 43).

DIMANCHE : « Vienne l'été ! » (page 56).

DOIGTS DE FÉE : « Petite fille » (page 39).

E

ÉCHELLE : « Une coccinelle » (page 21).

ÉCOLE : « Écolier » (page 41).

ÉLASTIQUE : « A la une ! » (page 32).

ÉLÉPHANT : « L'éléphant » (page 26). « Marche » (page 38). « Loufoqueries » (page 71). « Bêtises » (page 76). « A petits pas » (page 36).

ÉPOUVANTAIL : « Monsieur l'Épouvantail » (page 20).

ESCARGOT : « L'escargot » (page 25).

ESQUIMAU : « Esquimau » (page 40). « Hiver » (page 48).

ÉTAGE : « Vive ma tour » (page 42).

ÉTÉ : « Les quatre saisons » (page 54). « Vienne l'été ! » (page 56).

F

FALBALAS : « Dommage ! » (page 40).

FANFRELUCHE : « Cruche ! » (page 78).

FARFOUILLER : « Désordre » (page 82).

FÉE : « Oh ! la vilaine fée ! » (page 65). « Cœur de fée » (page 67). « Aurore » (page 50). « Du thé » (page 67).

FEU VERT : « Pour petits piétons pressés » (page 45).

FICELLE : « Tirez la ficelle ! » (page 37).

FLAQUE : « La pluie » (page 86).

FLOCON : « Tombe la neige » (page 57).

FOU : « Foufou » (page 72).

FOURRURE : « Esquimau » (page 40). « Chacun chez soi » (page 49).

FRAPPER : « Je suis le vent » (page 52).

FRIMOUSSE : « Au bain ! » (page 41).

FRISETTE : « Dommage ! » (page 40).

FROMAGE BLANC : « Brèche-dent » (page 43).

G

GADOUILLE : « Chacun son tour » (page 64).

GÉANT : « A petits pas » (page 36).

GIRAFE : « Bêtises » (page 76).

GLAÇON : « Glaçon » (page 53). « Esquimau » (page 40).

GOURMAND : « Gros gourmand » (page 61).

GOUTER : « Petit pâté » (page 60).

GRAIN DE MIL : « Premier Avril » (page 87).

GRENOUILLE : « Chacun son tour ! » (page 64).

GRIL : « Premier Avril » (page 87).

GRUE : « Qui suis-je ? » (page 70).

H

HÉRISSON : « Printemps ! » (page 55).

HIBOU : « Ton ami t'attend » (page 76).

HIPPOPOTAME : « Tam-tam » (page 24).

HIRONDELLE : « Printemps ! » (page 55).

HIVER : « Les quatre saisons » (page 54).

HUCHE : « Cruche ! » (page 78).

HURLER : « Je suis le vent » (page 52).

I

IGLOO : « Esquimau » (page 40).

IROQUOIS : « Bêtises » (page 76).

J

JAVANAIS : « Qui est polyglotte ? » (page 75).

JOURS DE LA SEMAINE : « La p'tite souris » (page 26).

JUPON : « Dommage ! » (page 40).

L

LACET : « Pas de chance ! » (page 47).

LAIT : « Hiver » (page 48).

LAITUE : « Deux bavardes » (page 63).

LENTEUR : « Deux bavardes » (page 63).

LÉZARD : « Printemps ! » (page 55).

LIBELLULE : « Printemps ! » (page 55).

LIMAÇON : « Trois canetons s'en vont » (page 23).

LOIR : « Au voleur ! » (page 25). « Printemps ! » (page 55).

LOUP : « Cache-cache » (page 33). « Le loup » (page 22).

LOUP-GAROU : « Ton ami t'attend » (page 76). « Foufou » (page 72).

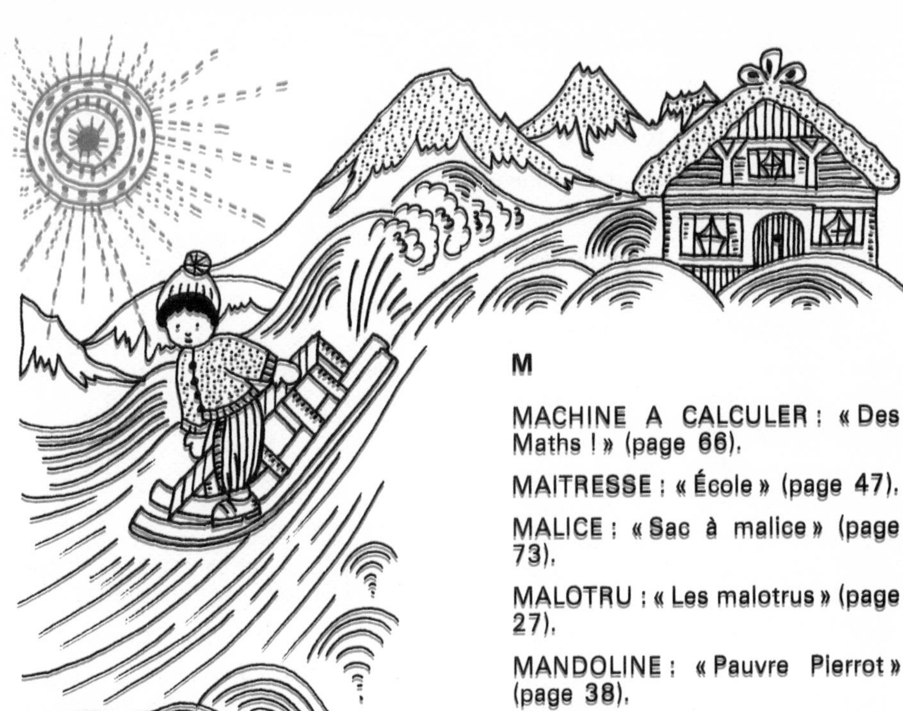

LUGE : « Sur la pente » (page 36).

LUSTUCRU : « Tout le pain d'épices ! » (page 61).

LUTIN : « Punition » (page 69). « Désordre » (page 82).

M

MACHINE A CALCULER : « Des Maths ! » (page 66).

MAITRESSE : « École » (page 47).

MALICE : « Sac à malice » (page 73).

MALOTRU : « Les malotrus » (page 27).

MANDOLINE : « Pauvre Pierrot » (page 38).

MAPPEMONDE : « Jeux d'hiver » (page 53).

MARGUERITE : « La ronde » (page 34).

MARIONNETTE : « Drôles de marionnettes » (page 35).

MARJOLAINE : « La ronde » (page 34). « De la tisane » (page 62).

MARRONS CHAUDS : « Hiver » (page 48).

MATHS : « Des Maths ! » (page 66).

MATOU : « Foufou » (page 72). « Ton ami t'attend » (page 76).

MÉLI-MÉLO : « Charivari » (page 80).

MIEL : « Les malotrus » (page 27).

MIETTE : « A l'aide ! » (page 74).

MILLE-PATTES : « Des Maths ! » (page 66).

MISTIGRI : « Tout le pain d'épices ! » (page 61).

MOUCHERON : « Chacun son tour ! » (page 64).

MOUCHOIR : « Le beau mouchoir d'Abélard » (page 46). « Le loup » (page 22).

MOUFLE : « Habille-toi ! » (page 44).

MOUSTACHE : « Cache-cache » (page 33). « Gros gourmand » (page 61).

MUSIQUE : « Le clown » (page 32). « Tam-tam » (page 24).

N

NEIGE : « Bonhomme de neige » (page 72). « Sur la pente » (page 36). « Tombe la neige » (page 57).

NEZ : « Pas de chance ! » (page 47).

NID : « Écoutez-le ! » (page 27). « Monsieur l'Épouvantail » (page 20).

NOCES : « Oh ! la vilaine fée ! » (page 65). « Noces ! » (page 68).

NORVÈGE : « Bonhomme de neige » (page 72).

NOUGAT, NOUGATON, NOUGATINE : « Bonhomme de neige » (page 72).

O

OISEAU : « Mon petit oiseau » (page 28). « Écoutez-le ! » (page 27). « Chacun chez soi » (page 49).

ORAGE : « Arc-en-ciel » (page 51).

ORPHÉON : « Tombe la neige » (page 57). « Le clown » (page 32).

OURSON : « Chacun chez soi » (page 49). « Les malotrus » (page 27). « Loufoqueries » (page 71).

P

PAIN : « Chez moi » (page 90). « Brèche-dent » (page 43).

PAIN D'ÉPICES : « Tout le pain d'épices ! » (page 61).

PANTALON : « Habille-toi ! » (page 44). « Dommage ! » (page 40).

PANTIN : « Tirez la ficelle ! » (page 37).

PANTOMINE : « Pauvre Pierrot » (page 38).

PAPILLON : « Été » (page 50).

PAQUERETTE : « Coquelicot bravo ! » (page 54).

PARAPLUIE : « A la marchande » (page 29). « La pluie » (page 86).

PAS : « A petits pas » (page 36).

PASSAGE CLOUTÉ : « Pour petits piétons pressés »(page 45).

PATÉ : « Petit pâté » (page 60).

PÊCHEUR : « Chacun son tour ! » (page 64).

PÉPIN : « A l'aide ! » (page 74).

PERDRIX : « Pigeon vole ! » (page 49).

PERRUCHE : « Cruche ! » (page 78).

PERVENCHE : « Vienne l'été ! » (page 56).

PETITS POIS : « Petits pois » (page 60).

PEUR : « Le loup » (page 22).

PIANO : « Charivari » (page 80).

PIÉTON : « Pour petits piétons pressés » (page 45).

PIERROT : « Pauvre Pierrot » (page 38).

PIGEON : « Pigeon vole ! » (page 49).

PILLARD : « Au voleur ! » (page 25).

PIPE : « Jeux d'hiver » (page 53).

PIPO : « Charivari » (page 80).

PIROUETTE : « Drôles de marionnettes » (page 35).

PISTACHE : « Au Pays de Cocagne » (page 58).

PLANCHE A ROULETTES : « La planche à roulettes » (page 30).

PLUIE : « La pluie » (page 86). « Arc-en-ciel » (page 51).

PLUME : « Trois canetons s'en vont » (page 23).

POISSON : « Chacun son tour » (page 64). « Loufoqueries » (page 71).

POISSON D'AVRIL : « Premier Avril ! » (page 87).

POIVRADE : « Artichaut nouveau ! » (page 59).

POLYGLOTTE : « Qui est polyglotte ? » (page 75).

POMME : « Non merci ! » (page 74). « Pomme et pomme » (page 62).

POU : « Ton ami t'attend » (page 76).

PRINTEMPS : « Aurore » (page 50). « Les quatre saisons » (page 54). « Printemps » (page 55).

PULL-OVER : « Habille-toi ! » (page 44).

R

RAFUS : « Faisons silence ! » (page 44).

RAMIER : « Pigeon vole ! » (page 49).

RAVE : « Punition » (page 69).

RENARDEAU : « Chacun chez soi » (page 49).

RENTRÉE : « Bonjour maîtresse ! » (page 52).

RHINOCÉROS : « Oh ! la vilaine fée ! » (page 65).

RIGAUDON : « La ronde » (page 34).

RIGOLO : « Brèche-dent » (page 43).

ROBE : « Vienne l'été ! » (page 56).

ROI : « Chez moi » (page 90). « Grand comme ça ! » (page 84).

ROMAIN : « École » (page 47).

RONCHON : « Grognon » (page 21).

RONDE : « Jeux d'hiver » (page 53).

RONRONNE : « Écoutez-le bien ! » (page 27).

ROSÉE : « Aurore » (page 50).

RUE : « Deux bavardes » (page 63).

S

SABOT : « Mes beaux sabots » (page 39).

SAPAJOU : « Foufou » (page 72).

SAPERLIPOPETTE ! : « A la marchande » (page 29).

SAUTEZ ! : « A la une » (page 32).

SAXO : « Charivari » (page 80).

SCOTCH : « Bricolage » (page 31).

SCOUBIDOU : « Foufou » (page 72).

SERPENT : « Loufoqueries » (page 71). « Bêtises » (page 76).

SILENCE : « Faisons silence ! » (page 44).

SOLEIL : « Arc-en-ciel » (page 51).

SORNETTE : « Drôles de marionnettes » (page 35).

SOUFFLER : « Je suis le vent » (page 52).

SOULIER : « Dommage ! » (page 40). « Pas de chance » (page 47).

SOURIS : « A petits pas » (page 36). « La p'tite souris » (page 26). « Sac à malice » (page 73).

T

TAC...TAC... : « Des Maths » (page 66).

TALON : « Dommage ! » (page 40).

TAMBOUR : « Tam-tam » (page 24).

TAPAGE : « Vive ma tour ! » (page 42).

TAXI : « Mon petit oiseau » (page 28).

TÉLÉSIÈGE : « Bonhomme de neige » (page 72).

TÊTARD : « Printemps ! » (page 55).

THÉ : « Du thé ! » (page 67).

TINTAMARRE : « Faisons silence ! » (page 44).

TISANE : « De la tisane » (page 62).

TOHU-BOHU : « Charivari » (page 80).

TORTUE : « Deux bavardes » (page 63).

TOUPIE : « Assez tourné ! » (page 33).

TOURNIS : « Assez tourné ! » (page 33).

TROGNON : « Grognon » (page 21).

TROMPETTE : « Tam-tam » (page 24).

V

VEDETTE : « Drôles de marionnettes » (page 35).

VENT : « Je suis le vent » (page 52).

VERROU : « Ton ami t'attend » (page 76).

VERVEINE : « De la tisane » (page 62).

VINAIGRETTE : « Artichaut nouveau ! » (page 59).

comptines parlées

Les animaux

MONSIEUR L'ÉPOUVANTAIL

Monsieur l'Épouvantail,
Dit la petite caille,
Vous n'êtes pas joli
Avec vos vieux habits !
Mais on m'a dit
Que vous étiez gentil !
Permettez-moi
De me percher
Sur le haut
De votre beau chapeau !

Si vous êtes gentil,
Je ferai mon nid
De brins de paille
Et de broussailles
Sur le haut
De votre beau chapeau !
Pour vous distraire,
Avant l'hiver
Je vous ferai un beau concert.
J'inviterai tous mes amis,
Nous chanterons jusqu'à minuit
Sur le haut de votre beau chapeau !

UNE COCCINELLE

Une coccinelle
Au bas de l'échelle,
La montera-t-elle ?
La montera-t-elle ?

Rouge et noire,
Noire et rouge,
Une coccinelle
Au bas de l'échelle
Que fait-elle ?

Attend le soleil,
Ouvre ses deux ailes,
S'envole toute belle
En haut de l'échelle...
Bravo mad'moiselle !

GROGNON

Un petit cochon
Ronchon ronchonnant
S'en va dans les champs
Chercher des choux blancs...

Y-a pas de choux blancs,
De choux dans les champs,
Y-a que des trognons
Pour cochons grognons.
Ronchon, ronchonnons !

LE LOUP

Au fond du couloir
Le loup se prépare
Il met ses bottes noires...

Qui a peur du loup ?
Pas nous !...

Au fond du couloir
Le loup se prépare
Il prend son mouchoir...

Qui a peur du loup ?
Pas nous !...

Du fond du couloir
Le loup vient nous voir
A pas de loup noir...

Qui a peur du loup ?
C'est nous !...
Sauvons-nous !

TROIS CANETONS S'EN VONT

Cahin-caha !
Dame cane s'en va...
Caha-cahin !
Dame cane s'en vient...

Un petit caneton,
Deux petits canetons,
Trois canetons s'en vont
Gober des limaçons...

Et floc !
On ne voit plus
Que les trois plumes
De leur croupion !

TAM-TAM

Tam !... tam !... tam !...
Approchez mesdames,
Mon hippopotame
Va jouer du tam-tam !

Il bat du tambour
Tous les jours !

Il joue d'la trompette
A la fête !

Il joue d'la musique
Pour le cirque !

Approchez mesdames,
Mon hippopotame
Va faire du ramdam !
Badabam !... Badabam !...

L'ESCARGOT

J'aime l'eau,
J'aime l'herbe,
J'aime tout
Et le chou !

Quand vient la rosée
Je montre mon nez !
Donnez-moi de l'eau,
Je montre mon dos !
Attendez encore,
Je montre mes cornes !
Quand il me plaira
J'avancerai tout droit,
Mais s'il ne pleut pas
Je n'avancerai pas !
Je reste chez moi
Quand il ne pleut pas.
Si vous m'attendez,
Vous me reverrez !

J'aime l'eau,
J'aime l'herbe,
J'aime tout
Et le chou !

AU VOLEUR !

Qu'est-ce qui passe ici si tard ?
Qu'est-ce qui trotte dans le couloir ?
C'est ce coquin petit loir
Au poil gris, à l'œil tout noir !
Il a chipé un bout d'lard,
Il a volé du blé noir,
Il a pillé le placard !

Arrêtez le pendard !
Attrapez le pillard !
Et bravo mon gaillard !

LA P'TITE SOURIS

La p'tite souris du lundi
Est sortie pour un radis !

La p'tite souris du mardi
A choisi un chou farci !

La souris du mercredi
Dans sa robe d'organdi
A dansé jusqu'à jeudi
Et dormi jusqu'à midi !

La souris du vendredi
S'est réveillée samedi.
Est partie en Picardie
Croquer du sucre candi !

Ma-de-moi-selle-la-souris
Est sortie jusqu'à lundi !

L'ÉLÉPHANT

Je suis l'éléphant,
L'ami des enfants.
Quand j'étais petit,
J'étais déjà grand !

Jamais je n'oublie
Ce que l'on me dit.
Je suis gros et grand
Et intelligent !

Quand je cris,
Je barris !
Quand je pense,
Je me balance !

Je suis l'éléphant
Gris, gros, grand !

LES MALOTRUS

Trois petits oursons
Arthur
Tibur
Fabur
Goulus, bourrus, têtus !
Ils ont mangé tant de miel
Qu'ils sont devenus ventrus
Les malotrus !
Qu'ils sont devenus sucrés
Les mal élevés !
Qu'ils sont devenus collants
Les gros gourmands !

ÉCOUTEZ-LE !

Le petit oiseau des bois
Qui-dit-qui ?... Qui-dit-quoi ?...
Le petit oiseau des bois
Ne dit pas n'importe quoi !

Il vous dit qu'il fait son nid
Qui-ri-qui... qui-qui !
Et qu'il aura des petits
A la saint Barthélemy !

N'allez pas le déranger,
Le petit oiseau des bois
Ne dit pas n'importe quoi
Quand il parle à ses amis !

MON PETIT OISEAU

Mon petit oiseau
Part pour Bamako
En paquebot !

Mon petit oiseau
Part pour Tahiti
En taxi !

Mon petit oiseau
Part pour Saigon
En avion !

Ne le croyez pas !...
Mon petit oiseau
Reste dans mes bras,
Car il est à moi !

Des jeux

A LA MARCHANDE

J'ai d'la ciboulette
Et des cacahuètes,
Personne ne m'achète
Saperlipopette !

J'ai des bigoudis
Et des parapluies,
Qui en a envie ?
Sapristi !

J'ai des salsifis
Et de gros radis,
Personne n'en veut
Morbleu !

J'aì des bergamotes,
J'ai des berlingots !
J'ai du Roudoudou
Et des Cachous !
En voulez-vous ?
En voulez-vous ?

LA PLANCHE A ROULETTES

A quatre pattes
Je me carapate !
Sur un pied
Je saute à cloche-pied !
Sur les mains
Je fais le poirier !
A pieds joints
Je n'irai pas loin !
Sur deux pieds
C'est mieux pour marcher !

La planche à roulettes
C'est encore plus chouette !

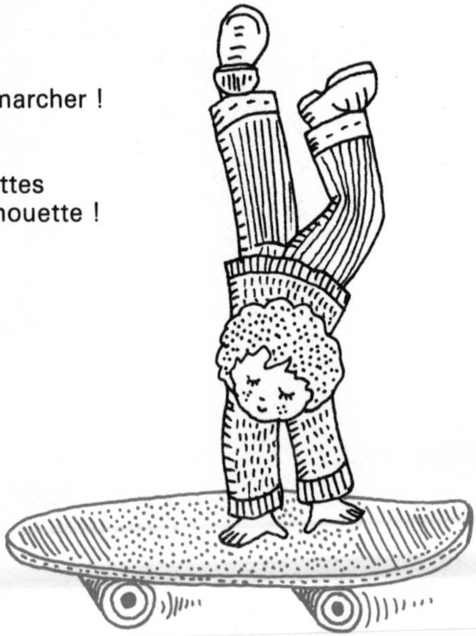

BRICOLAGE

Nous avons des ciseaux ronds,
De la colle et des crayons,
Du papier et du carton !
Nous avons de la ficelle,
De l'aquarell', des pastels
Et du Scotch plein nos poches !
Qu'allons-nous faire ?
Qu'allons-nous faire ?

Une cocotte en papier
Qui saura très bien marcher,
Une cocotte en papier
Qui sait cocoricoter !

LE BALLON

Julien le tient,
Mathieu le veut,
Laurent le prend,
Agathe le rate,
Paf !
Il éclate !...

LE CLOWN

Je suis clown à l'orphéon,
Je joue de l'accordéon
Sur les marches du Panthéon
Le jour de la saint Léon !

Do ré mi fa sol la si
La sol fa mi ré do si !
Ce n'est pas si facile
De jouer de la musique !

A LA UNE !

Sautez ! Sautez !
Demoiselles !
A la corde,
A la ficelle !

Sautez ! Sautez !
Petites filles !
A la corde,
A l'élastique

A la une !...
A la plume !...
A la lune !...

ASSEZ TOURNÉ !

Tourne, tourne la toupie
La jolie toupie de Julie !
Elle a tourné toute sa vie
Je crois qu'elle a le tournis...

Tourne, tourne la toupie
La jolie toupie de Julie !
Elle sait bien chanter aussi
Mais elle n'en a plus envie...

Ne fais plus tourner
Ta toupie, Julie...
Laisse ta toupie jolie
Se reposer sur le tapis !

CACHE-CACHE

A la trace !
A la chasse !
A cache-cache !

Le loup se cache
Derrière un arbre !
J'ai vu sa barbe
Et ses moustaches
Qui dépassent !

Le loup est vu,
Il est perdu !
Le chat l'a pris
Pour une souris !

LA RONDE

Dansons la marjolaine
En bas de laine !
Dansons la capucine
Chez la voisine !
Dansons la bourrée
Sous le prunier !
Et le rigaudon
Sous le balcon !
La marguerite des prés
Va se marier !

DROLES DE MARIONNETTES

C'est nous les p'tites marionnettes
Un peu coquettes mais pas bêtes !
Nous avons de drôles de têtes
Tristes, jolies ou follettes !

Faites-nous faire des pirouettes
Au bout de nos cordelettes,
Et jouer des castagnettes.
C'est nous les p'tites marionnettes !

Nous racontons des sornettes,
Nous chantons des chansonnettes,
Nous vous ferons des courbettes...
Nous sommes les p'tites marionnettes !

Pan ! Pan ! Voilà les vedettes !

SUR LA PENTE

A toute allure
Glisse ma luge.
Pieds en avant,
Nez au vent,
Allez-vous-en
Je descends !

A toute allure
File ma luge,
A toute vitesse
Se renverse !
Pique une tête
Dans la neige,
Pieds en l'air,
Tête en bas,
Me voilà !

A PETITS PAS

A menus pas de souris
Sur le tapis
Patapi ! Patapi !

A très grands pas de géant
Dans les champs
Patapan ! Patapan !

A très gros pas d'éléphant
Dans le vent
Badaban ! Badaban !

A très petits pas d'enfant
Avec maman
Avec papa
Petipas ! Petipas !

TIREZ LA FICELLE !

C'est moi le pantin de bois,
Tirez-moi ! Tirez-moi !
Je vais lever mes deux bras
Une... deux... trois !...
Tirez-moi par la ficelle,
Mes deux jambes montent en l'air,
C'est tout ce que je sais faire !

Tirez-moi ! Tirez-moi !
Tirez-moi par la ficelle,
Je vous montre mes semelles.
C'est moi le pantin de bois
Qui lève ses bras
Haut comme ça !
Qui lève ses mains
Haut les mains !

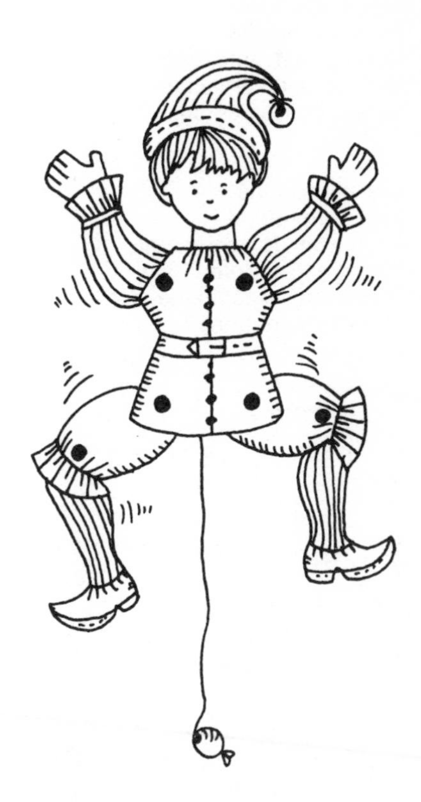

PAUVRE PIERROT

A la pantomine
Pierrot est allé
De blanc habillé !
Sa mine est enfarinée,
Sa robe est immaculée,
Pauvre Pierrot déguisé !

A la pantomine
Voilà Colombine !
Sur un air de mandoline
Pierrot et sa Colombine
Danseront la capucine.
Sonnez les matines !

MARCHE

Un éléphant blanc
Marche devant.
Un éléphant vert
Marche derrière.
Trois éléphants bleus
March'nt au milieu
A la queue leu leu !

Enfants d'éléphants
Marchez bien en rang
Ram-plan-plan-plan !

Les enfants

MES BEAUX SABOTS

Sabots de bois !
Sabots de buis !
Sabots jolis !

Mon sabotier est mon ami,
Mes sabots à moi
Sont vernis !

PETITE FILLE

Anne, Camille
Ou Pétronille,
Petite fille
Tire l'aiguille !
Pousse le dé !
Fronce le nez !

Tu seras grande
Avant longtemps,
Petite fille
Aux doigts de fée !

ESQUIMAU

Ma maison est tout en rond,
Ma maison est en glaçons.
Dans ma maison il fait bon,
Dans ma maison il fait doux,
Mon château est un igloo !

Mes couvertures
Sont des fourrures !
Mon déjeuner
D'poisson séché !

Ma culotte et mes bottes
Sont de peau de phoques !
Je suis un esquimau
Tout beau !

DOMMAGE !

J'ai les cheveux raides,
J'aime les frisettes !

J'ai des pantalons,
J'aime les jupons !

Mes souliers sont plats,
J'aime les talons !

Et des falbalas,
Je n'en ai pas !

Tant pis pour moi,
C'est comme ça !

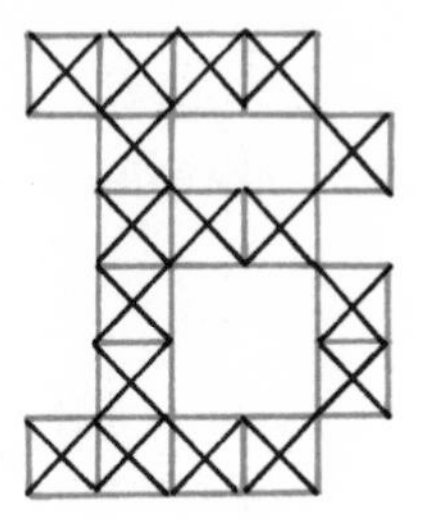

AU BAIN !

Le poisson n'a pas d'nageoire,
La rivière est une baignoire,
La salle de bains est une mare !
Et dans l'eau de la baignoire
Il y a Grégoire !

La tempête a éclaté,
La savonnette a sombré,
L'éponge a bien navigué,
Le bateau a chaviré,
Le canard a bien nagé !

Mais dans l'eau de la baignoire
Grégoire est tout noir !
Lave ta frimousse
Vilain petit mousse !
Tu m'éclabousses !

ÉCOLIER

Do ré mi fa sol
Je vais à l'école !
Sol la si do ré
J'apprends à chanter !
La sol fa mi ré
J'apprends à danser !

A B C D E F G
J'apprends l'alphabet !
4 5 6, et 7, et 8,
J'apprends tous les chiffres !
Quand je serai grand,
Je serai savant !

VIVE MA TOUR !

Qui habite au vingt-cinquième étage
De la Super-Tour-de-Zanzibar ?
C'est elle, c'est lui, c'est moi !
C'est nous les veinards !

Mon cœur vole,
Mon cœur vole
Quand je monte en ascenseur
Avec Carol !

Mon cœur plonge,
Mon cœur plonge
Quand je descends jusqu'en bas
Avec Carol et Nicolas !

Nous habitons tout en haut,
Aussi haut que les oiseaux !
Nous voyons mieux les nuages,
Nous avons moins de tapage !
Tout nous semble beau
Vu de si haut !

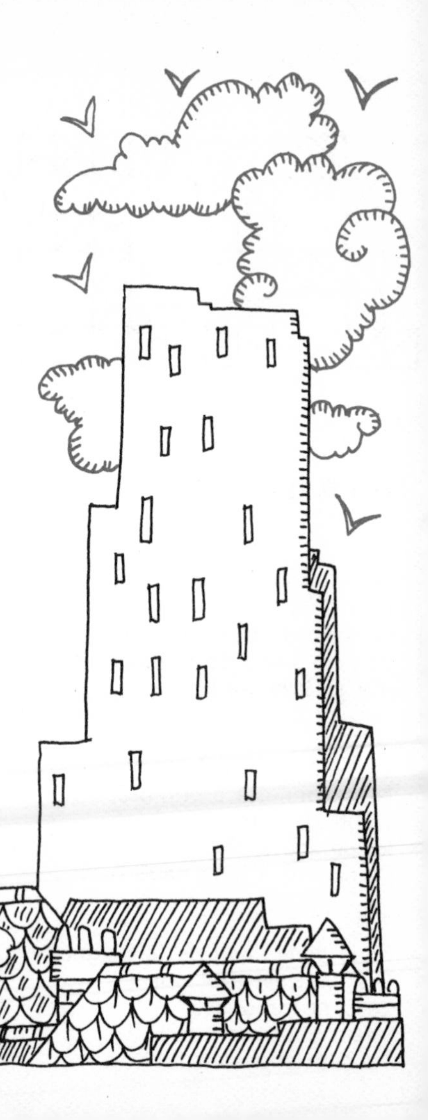

MON BLANC BONNET

Un coup de vent...
Mon blanc bonnet
S'est envolé
Sur la cheminée !

Un coup de vent...
Mon blanc bonnet
Est descendu
Dans la rue !

Il n'est plus blanc
Mon blanc bonnet !

BRÈCHE-DENT

J'ai sept ans
Et plus d'dents
Par devant !

Pour croquer du pain
Ce n'est pas très bien !
Pour le fromage blanc
Ce n'est pas gênant !
Pour les artichauts
C'est rigolo !

HABILLE-TOI !

J'ai mis mon pantalon
Long !
J'ai mis mon pull-over
Vert !
J'ai mis mes deux moufles
Ouf !
J'ai mis mon cache-nez,
J'ai mis mon bonnet,
J'ai mis mes souliers !

Je voudrais être un chat
Qui ne s'habille pas !

FAISONS SILENCE !

Je me tais,
Tu te tais,
Il se tait !
Chacun de nous se taira
Et le silence viendra !

Assez de chahut,
Assez de rafus,
Finis la bagarre
Et le tintamarre,
Vienne le silence
Pour que chacun pense !

LES BOTTES DE JACOTTE

Jacotte a des bottes
Qui trottent,
Qui trottent,
Et qui galopent !

Jacotte a des bottes
Qui trottent,
Qui flottent,
Et qui barbotent !
Oh la sotte !

POUR PETITS PIÉTONS PRESSÉS

Jamais ne courez,
Jamais ne dansez
Quand vous traversez
Au passage clouté !

Jamais n'oubliez
De bien regarder
De chaque côté
Avant d'avancer !

Si vous regardez
Par derrière...
Si vous avez
Le nez en l'air...
Vous ne verrez
Pas le feu vert !

N'oubliez pas d'embrasser
La dame qui fait traverser !

LE BEAU MOUCHOIR D'ABÉLARD

Avez-vous vu par hasard
Le beau mouchoir d'Abélard ?

Il n'est pas grand,
Il n'est plus blanc,
Il n'est pas noir,
Le mouchoir d'Abélard !

Il l'a laissé quelque part ?
Il l'a oublié ce soir ?
Il l'a mis dans son tiroir ?
Il l'a rangé dans l'armoire ?
Il l'a perdu à la gare ?

Il n'est pas grand,
Il n'est plus blanc,
Il n'est pas noir,
Le mouchoir d'Abélard !

Il en a fait un foulard
Pour jouer à colin-maillard...
C'est un traquenard !

PAS DE CHANCE !

Hélas !... Hélas !...
Qui me lace,
Qui me lace
Mon soulier délacé ?

Si mon lacet se défait
Je vais tomber sur le nez !
Si je me casse le nez
J'arriverai le dernier !
Si j'arrive le dernier
Je vais me faire gronder !
Et si je me fais gronder
C'est la faute à mon soulier,
A mon soulier délacé !...
Lacez-moi donc mon soulier !

ÉCOLE

Mon amie d'aujourd'hui
C'est Julie !
La grosse bête qui m'embête
C'est Juliette !
Mon voisin de demain
C'est Romain.
Tout le monde est gentil,
La maîtresse l'a dit.
Vive le mercredi !

La nature et les saisons

HIVER

Chauds ! Chauds ! Chauds !
Les marrons chauds
Dans mon chapeau !

Chaud ! Chaud ! Chaud !
Le bon lait chaud
Dans le grand pot !

Chaud ! Chaud ! Chaud !
Le bouillon chaud
Sur le réchaud !

Chaud ! Chaud ! Chaud !
Les esquimaux ont chaud !

PIGEON VOLE !

Une perdrix
Dans la prairie !

Un canard
Dans la mare !

Un ramier
Dans le hallier !

Un pigeon
Dans le vallon !

Qu'est-ce qu'ils font ?...
Ils s'en vont !
Ils s'envolent !
Pigeons volent !

CHACUN CHEZ SOI

Il fait froid
Dans les bois !

Petit ourson
Reste au fond
De sa maison !

Petit renardeau
A bien chaud
Dans sa peau !

Petit oiseau
Est douillet
Sous son duvet

Chacun sa maison !
Chacun sa fourrure !
Chacun sa pelure !

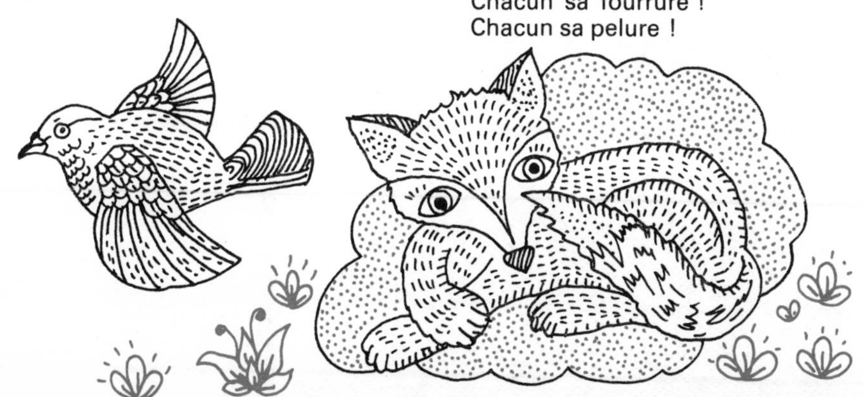

ÉTÉ

Un papillon blanc
Dans le vent !
Deux papillons bleus
Dans les cieux !
Trois papillons jaunes
Dans les chaumes !

Papillon du soir
Dans le noir !
Papillon de lune
Sur la dune !
Papillon de jour,
Bonjour !

AURORE

Une cloche tinte,
Une bulle danse,
Un matin s'avance,
La fête commence...

Petite fille
Vite t'habille !
Printemps t'attend
Dans le grand champ !

Cours nu-pieds
Dans la rosée,
Une fée t'attend
Pour danser !

ARC-EN-CIEL

Le ciel est gris,
Tombe la pluie !
Le ciel en rage,
Gronde l'orage !

Un arc-en-ciel
Brille au soleil.
Finie la pluie,
Le soleil luit !

Bel arc-en-ciel,
Tu me dis
Que la pluie
Est finie !

JE SUIS LE VENT !

Je suis le vent
Qui va,
Qui vient
Et qui revient !

J'emporte très loin,
Je courbe très bas,
Je file très vite,
Je hurle très fort !

Je suis le vent
Qui siffle,
Qui souffle
Et qui ressouffle !

Je chasse la pluie,
Je pousse la brume,
Le soleil me suit,
Le beau temps revient !

Je suis le vent
Qui frappe,
Qui tape
Et qui retape !
Ouvrez-moi s'il vous plaît !

BONJOUR MAITRESSE !

L'été s'en est allé,
L'automne est arrivé !
Feuilles dorées,
Voulez-vous danser
Avec les écoliers ?...
C'est la rentrée !

JEUX D'HIVER

Mon ventre est gros
Comme un tonneau !
Ma tête est ronde
Comme une mappemonde !
La pipe à la bouche,
La carotte au nez,
Je regarde le monde !

Venez danser la ronde
Avant que je ne fonde !

GLAÇON

Joli glaçon
Tout rond,
Petit glaçon
Qui fond,
Vilain glaçon
Tout froid
Dans mes doigts !

Je te tiens
Dans ma main...
Et puis plus rien !

COQUELICOT, BRAVO !

Bleu
Bleuet
Dans les blés !

Blanche
Pâquerette
Dans le pré !

Jaune
Bouton d'or
Vient d'éclore !

Gentil
Coquelicot,
C'est toi le plus beau !

LES QUATRE SAISONS

Pluie d'été,
Fruits d'été,
Et un panier
Pour les ranger !

Pluie d'automne,
Pomme d'automne,
Et parapluie
Pour la pluie !

Pluie d'hiver,
Prenons l'air,
En attendant
Le printemps !

PRINTEMPS !

Une hirondelle vole à tire-d'aile.
Dame l'abeille se réveille.
La coccinelle se promène.
La libellule déploie ses ailes.
Le petit loir brosse son poil.
Le gros têtard nage dans la mare.
Le lézard vert dort au soleil.
Le hérisson sort de son trou...
On n'attend plus que le coucou !

VIENNE L'ÉTÉ !

Si c'était dimanche,
Si c'était l'été,
Je serais levée
Et vite habillée
Dans ma robe blanche,
Si c'était dimanche !

Dans ma robe blanche,
Pour aller danser
Au milieu des prés,
Pour aller chercher
Beaucoup de pervenches,
Si c'était dimanche !

Quand viendra l'été,
Quand viendra dimanche,
Ma belle robe blanche
Sera repassée,
Et mon pied léger !

TOMBE LA NEIGE

Il neige !
Il gèle !
Il vente !
Tout est blanc
En silence !
Blanc sur la terre,
Blanc dans le ciel !

La neige tombe
A gros flocons,
En tourbillons !
Il neige !
Il gèle !
Il vente !
Quel froid de loup...
Rentrez chez vous !

Cela se mange et se boit

AU PAYS DE COCAGNE

Au bon Pays de Cocagne,
Tout en haut de la montagne,
Montez, montez, Messieurs-Dames !

On y mange du ratatam',
On y boit du jus de banane,
On y suce du sucre de canne,
On y mache de la bourrache,
On y croque du sucre d'orge,
On y lèche de la pistache,
On y gobe des œufs de Pâques !

Montez, montez, Messieurs-Dames,
Au bon Pays de Cocagne !
Si vous mangez trop,
Vous deviendrez gros !

ARTICHAUT NOUVEAU !

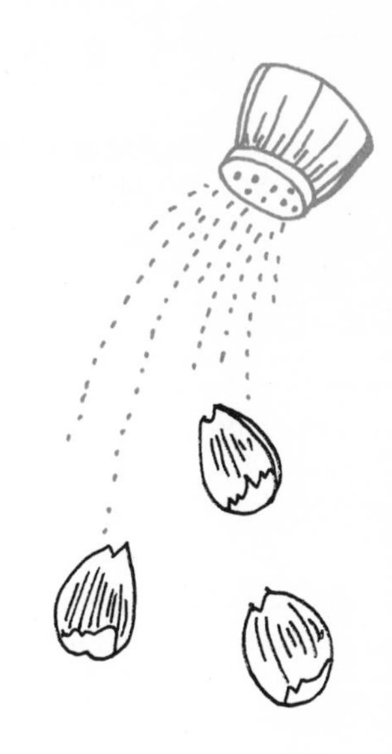

J'ai des feuilles, des feuilles
Autour de mon cœur !
Mon fond est très bon,
Mon foin ne l'est pas !
Je suis l'artichaut
Nouveau !

Pour me manger
Il faut m'aimer !
Qui m'effeuillera
Me mangera :
A la poivrade,
Ce n'est pas fade !
A la vinaigrette,
Ce n'est pas bête !
A la croque-au-sel
Mam'zel !

PETITS POIS

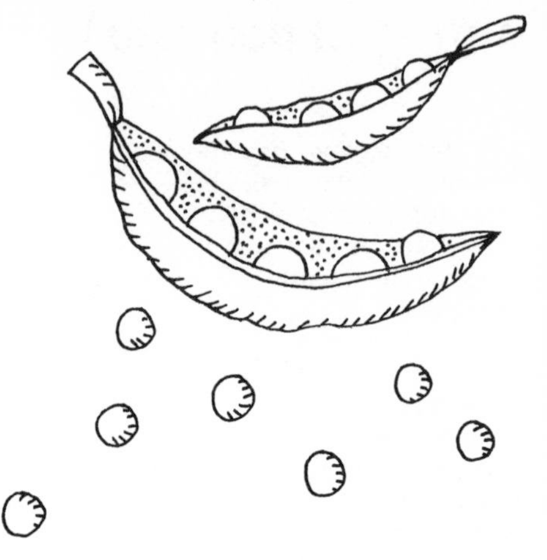

Écossons les petits pois
Tagada... tagada !...
Tant qu'il y en a !

On peut les goûter,
On peut les croquer,
Petits pois sucrés
Tout bons !
Tout frais !
Tout ronds !

Écossons nos petits pois
Tagada... tagada !...
Tant qu'il y en aura !

PETIT PATÉ

Petit pâté tout doré,
Es-tu bien sucré ?
Es-tu bien salé ?

Petit pâté tout doré,
On va te manger
Pour notre goûter !

Petit pâté bien doré,
C'est le boulanger
Qui nous l'a donné !

GROS GOURMAND

Des confitures
Plein la figure !
Du chocolat
Plein les doigts !

Pas de navets,
Des beignets !
Pas de poireaux,
Des gâteaux !

Et du Coca
Plein l'estomac !
Moustaches de chat !
Moustaches de rat !

TOUT LE PAIN D'ÉPICES !

Lustucru l'a défendu !
Mistigri n'l'a pas permis !
Raminagrobis,
Qui en a envie,
Mange le pain d'épices
Qui est dans l'office !

Y-en a plus pour Lustucru,
Et tant pis pour Mistigri !
Raminagrobis
N'est qu'un égoïste !

POMME ET POMME

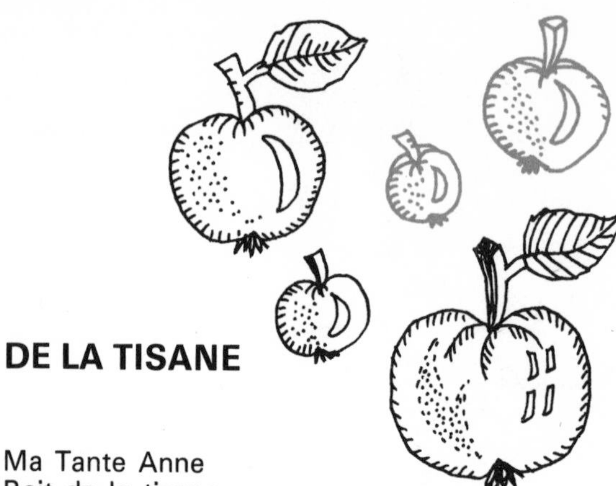

Panier de pommes,
Purée de pommes,
Kilo de pommes,
Qui veut des pommes ?

Pomme crue !
Pomme cuite !
Pomme frite !
Pêle ta pomme,
Bonhomme !

DE LA TISANE

Ma Tante Anne
Boit de la tisane.
Ma Tante Anne est belle.
Buvons avec elle
De la verveine !
De la bourdaine !
De la marjolaine !

PAS DE BONBONS !

Une grosse bête
A-manger-du-foin
Qui n'écoute rien
Jamais rien de rien !
La punira-t-on ?
La grondera-t-on ?
Que lui donnera-t-on ?

Trois p'tits coups de bâton
Et pas de bonbons !

Des historiettes

DEUX BAVARDES

Une tortue très connue
Marche dans la rue.
Pourquoi se presser ?
Elle a le temps d'arriver !

Rencontre une autre tortue
Qui n'est pas pressée non plus.
Les deux tortues se saluent
Et se parlent de laitues.

On dit qu'elles se sont perdues
Dans un jardin de laitues,
Mais moi je ne l'ai pas cru...
Elles sont encore dans la rue !

CHACUN SON TOUR !

Une grenouille dans la gadouille
Qu'a-t-elle avalé ?
Une belle araignée
Qui lavait ses pieds !

L'araignée avait mangé
Un moucheron bien mal élevé :
Le moucheron avait piqué
Un pêcheur de bonne humeur !

Le pêcheur a attrapé
Un beau poisson tout doré.
Il va bientôt le manger
Pour son déjeuner !

Le poisson, c'est très bon,
Cuit au court-bouillon
Avec des oignons !

OH ! LA VILAINE FÉE !

J'ai rencontré Carabosse
Sur son balai-brosse !

Elle m'a dit d'un air féroce :
– Tape trois fois sur ma bosse,
Il en sortira trois rhinocéros !

Pas plus de rhinocéros
Dans la bosse à Carabosse
Qu'il n'y a de beau carrosse
Au bout de son balai-brosse !

N'invitez pas à vos noces
La vilaine fée Carabosse !

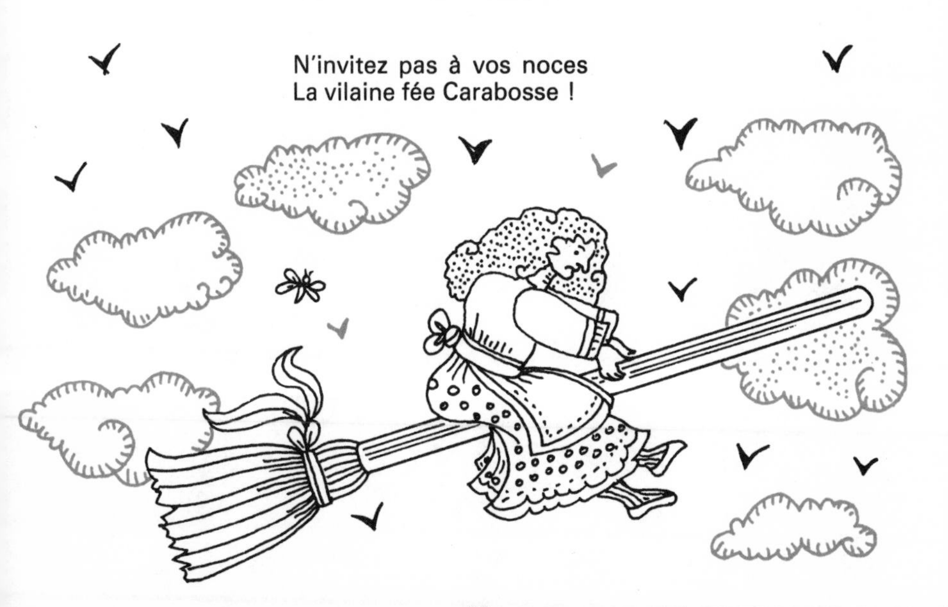

DES MATHS !

C'est le Roi des Mille-pattes
Qui compte ses pattes
Tac... tac... tac... tac... tac !...

Il a dû se tromper
Par hasard ou par mégarde :
Il n'a plus son compte de pattes,
Il n'a pas son compte de pieds !
Il en a plus qu'avant-hier,
Il en trouve moins qu'hier !
Voulez-vous vite lui donner
Une machine à calculer !

Monsieur le Mille-pattes,
Il vous faut des cours de Maths !

DU THÉ !

Une jolie fée
Qui buvait du thé,
Du thé de rosée,
Pour son dîner,
Pour son goûter,
Pour son souper,
Rien que du thé !
Elle s'est envolée hier
Sur sa théière...
Plus de fée !
Plus de thé !

CŒUR DE FÉE

Madame la Fée
Passe l'aspirateur
Dans sa demeure...

Trouve une clef,
Celle de son cœur,
Sous le radiateur...

Madame la Fée
A qui la donnera-t-elle ?...
A celui qu'elle aime !

NOCES !

C'est le Roi du Nougat
Qui passait par là...
Mam'zelle Caramel,
Qui est la plus belle,
Lui a dit : « Épousez-moi ! »

Mes amis, marions-les,
Nous aurons des nougatons !
Mes amis, marions-les vite,
Nous aimons les nougatines
Et les bons nougatons !

LA CLOCHE

Pourquoi dit-on :
« Qui dort dîne » ?
Pourquoi dit-on :
« Qui dort dîne » ?
Sonne la cloche
Qui s'étonne...

Moi je sonne !
Moi je sonne !
Moi je sonne pour que l'on dîne,
Et quand on aura dîné
Je sonn'rai pour que l'on dorme !
Ding ! Dong ! Dong !

OH ! LES COUETTES !

Une petite coquette
Qui voulait des couettes...
Ses cheveux ont poussé
Jusqu'à ses pieds !

Les garçons les ont tirés
Si fort, si fort !...
La petite coquette
N'a plus de couettes !

PUNITION

Un lutin malin
Qui buvait du vin,
Du vin de lupin,
Du soir au matin !

Tombe dans la cave
Y trouve une rave !
Il y restera
Tant qu'il y en aura.
Le vilain lutin !

Des mots pour rire

QUI SUIS-JE ?

Je monte et monte
Et me démonte...
Je tourne et tourne
Et me détourne...
Je porte et porte
Et je transporte...

Qui m'a vue dans la rue ?...
Qui me voit
Par dessus les toits ?...
On me regarde
Quand je travaille !

Je suis la grue...
Qui l'eût cru ?

COMME CHICOTIN

Amer comme chicotin.
Bon comme du bon pain.
Raide comme la justice.
Plein comme un œuf.
Droit comme un i.
Rond comme un ballon.
Gentil comme tout.

Et moi je suis
Comme je suis !

LOUFOQUERIES !

Des gants d'éléphants !
Des bas de serpents !
Des plumes d'oursons !
Des pieds de poissons !
Il n'y en a pas...
Tra la la !

BONHOMME DE NEIGE

Un bonhomme de neige,
Tout seul dans la neige,
S'en va-t-en Norvège
Sur un télésiège !

Rencontre un cortège,
Tombe dans un piège,
Et rentre au collège,
Tout couvert de neige,
Chanter des arpèges !

FOUFOU

Êtes-vous assez fou
Pour répéter tout ?

Un hibou sur un scoubidou,
Un coucou sur un tourlourou,
Un matou sur un sapajou,
Un licou sur un loup-garou !

Il y a des fous partout !

SAC A MALICE

Dans mon sac à malice
Tout se range, tout se mange !
J'y ai mis trois grains d'anis
Avec une poignée de riz,
Une bouteille d'eau de mélisse,
De la mélasse et du réglisse !

Dans mon sac à malice
Tout se boit et tout se mange !
La p'tite souris grise
N'y est pas admise !

A L'AIDE !

Une miette
Qui s'arrête...
Un pépin
Qui se coince...
Au secours,
Je m'étouffe...
Et je tousse !

Tapez-moi sur le dos,
Je ferai cocorico !

NON MERCI !

La couperas-tu ?...
La pêleras-tu ?...
La mangeras-tu ?...
La croqueras-tu ?...
La pomme ! Ma pomme !

– Non, merci Madame...
Je veux une banane !

QUI EST POLYGLOTTE ?

– A-O – dou – you – dou ?...
Comment allez-vous ?

Dou – you ?... Dou – you QUOI ?...
Je ne comprends pas !

– Y como esta ?...
Pas si mal que ça !...

Savez-vous l'Anglais,
Le Portugais,
Le Javanais ?
Niet ! niet ! niet ! niet ! niet !...

A-O – dou – you – dou ?...
Comment allez-vous ?...
Parlez-vous le Patagon
Ou le Lapon ?...

La grand'mère Margotte
Était polyglotte.
Quand on ne sait
Que le Français,
On peut tout se dire
Avec un sourire !

TON AMI T'ATTEND !

Toc !... Toc !... Toc !...
Qui frappe à ta porte ?...
Un loup-garou ?
Un gros matou ?
Un vieux hibou ?
Un jeune coucou ?
Un petit pou ?...

Tire le verrou...
C'est ton ami doux !

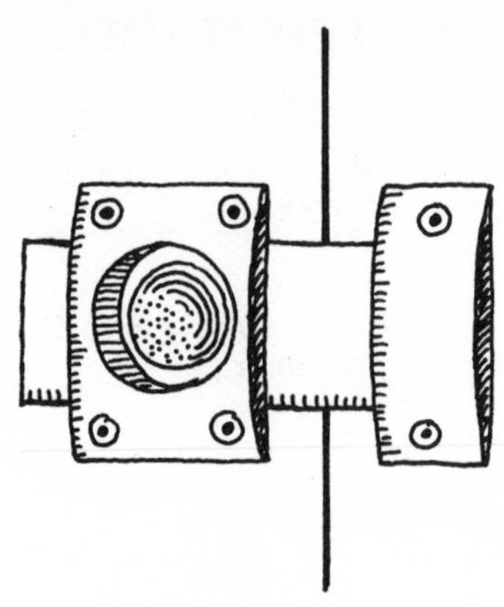

BÊTISES !

Un crocodile
Sergent de ville !
Un éléphant
Très important !

Une girafe
Qui piaffe !
Un serpent
Qui ment !

Un Iroquois
Qui-dit-n'importe-quoi !

Un enfant qui le croit !

comptines chantées

CRUCHE !

Une per – ru – che qui tré – bu – che
sur u – ne bû – che ! co – que – lu – che,
Tri – ple cru – che et fan – fre – lu – che !
Une au – tru – che qui se ju – che
Sur u – ne hû – che ! Co – que – lu – che,

Une perruche
Qui trébuche
Sur une bûche !

Une autruche
Qui se juche
Sur une hûche !

Coqueluche,
Triple cruche
Et fanfreluche !

CHARIVARI

1er groupe (canon).

Quand le "canon" est bien parti le 2ème groupe chante en même temps.

Presque parlé (fort).

Sur un signe tous s'arrêtent brusquement, puis en chuchotant :

Du banjo,
Du pipo,
Du saxo,
Du piano !

Maestro, quel méli-mélo !
Oh la la ! Quel brouhaha !
Mes amis, quel charivari !

Chut...
Le tohu-bohu
S'est tu !

DÉSORDRE

Pas trop vite.

On reprend les 8 premières mesures

Un lutin dans ma maison,
Qui dérange,
Qui mélange !

Un lutin qui touche à tout !
Un lutin de rien du tout !

Il farfouille !
Il embrouille !
Il trifouille !
Niquedouille !

GRAND COMME ÇA !

(canon à 3 parties)

Un copeau de bois
Est son toit,
Une goutte de rosée
Son goûter !

On dit qu'il y a
Dans les bois
Un tout petit roi
Grand comme ça !

Un tout petit roi
Grand comme ça,
Cherchez-le pour moi
Dans les bois !

LA PLUIE

Tombe la pluie
Sur mon parapluie !
La pluie qui dit clic !
La pluie qui dit clac !

Danse la pluie
Sur mon parapluie !
La pluie qui dit floc !
La pluie qui dit flac !

Et moi je ris
Sous mon parapluie !
Et je fais floc et flac
Dans toutes les flaques !

PREMIER AVRIL !

Debout sur un fil,
Un poisson d'Avril
Compte, compte, compte jusqu'à mille !

Assis sur une île,
Deux poissons d'Avril
Gobent, gobent, gobent des grains de mil !

Couchés sur un gril,
Trois poissons d'Avril
Flottent, flottent, flottent vers la ville !

Au fond d'un baril,
Un gros crocodile
Crie : « Poisson d'Avril » !

ÉCOUTEZ BIEN !

(Une voix)

(Tous)

On monte d'un ton
à chaque couplet.

Qui grogne
Et qui cogne ?

Le garçon,
Le bâton !

Qui ronfle
Et qui gonfle ?

Le cochon,
Le ballon !

Qui miaule
Et qui piaule ?

Le chaton,
L'oisillon

Qui chante
Et qui danse ?

Les enfants,
Les mamans

CHEZ MOI

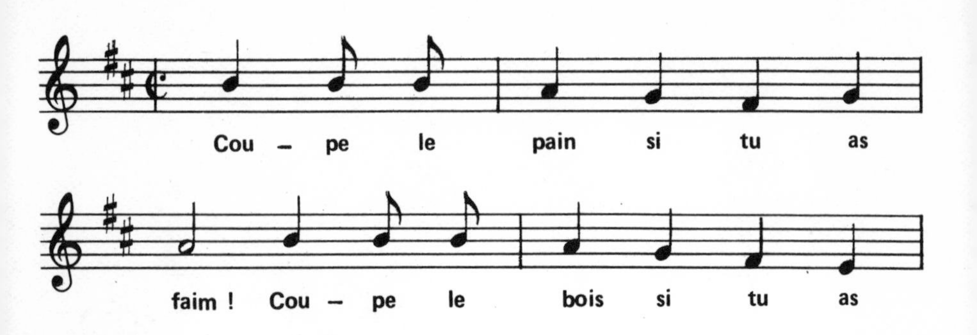

Coupe le pain
Si tu as faim !
Coupe le bois
Si tu as froid !
Tu es le roi
Chez moi !
Vive la joie
Sous mon toit !

C'EST MON PETIT CHIEN

(Comme une valse)

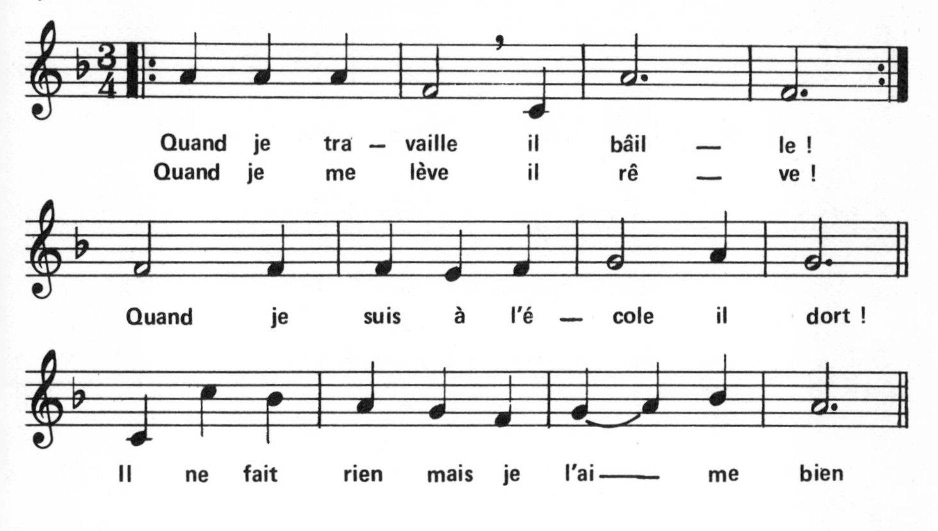

Quand je travaille
Il bâille !
Quand je me lève
Il rêve !
Quand je suis à l'école
Il dort !

Il ne fait rien,
Mais je l'aime bien
Mon petit chien !

ÇA ROULE !

(Canon a 5 parties)
A
Tour — ne, rou – le ma bou — le !
B
Fi — le, bril – le ta bil — le !
C
Vo – le, s'en – vo – le sa bal — le ! ma
D
bou — le ! ta bil — le ! ma
E
bou — le ! sa bal — le !
On fait un petit accent sur tous les premiers temps.

Table des matières

UNE COMPTINE C'EST TOUT UN PROGRAMME ... 5

TABLE DES MOTS-CLEFS .. 7

COMPTINES PARLÉES 19

LES ANIMAUX 20

Monsieur l'épouvantail 20
Une coccinelle 21
Grognon 21
Le loup 22
Trois canetons s'en vont 23
Tam-tam 24
L'escargot 25
Au voleur ! 25
La p'tite souris 26
L'éléphant 26
Les malotrus 27
Ecoutez-le ! 27
Mon petit oiseau 28

DES JEUX 29

A la marchande 29
La planche à roulettes 30
Bricolage 31
Le ballon 31
Le clown 32
A la une ! 32
Cache-cache 33
Assez tourné ! 33
La ronde 34
Drôles de marionnettes 35
Sur la pente 36
A petits pas 36
Tirez la ficelle ! 37
Pauvre Pierrot 38
Marche 38

LES ENFANTS 39

Petite fille 39
Mes beaux sabots 39
Esquimau 40
Dommage ! 40
Au bain ! 41
Ecolier 41
Vive ma tour ! 42
Mon blanc bonnet 43
Brèche-dent 43
Habille-toi ! 44
Faisons silence ! 44
Les bottes de Jacotte 44
Pour petits piétons pressés .. 45
Le beau mouchoir d'Abélard . 46
Pas de chance ! 47
Ecole 47

LA NATURE
ET LES SAISONS 48

Hiver 48
Pigeon vole ! 49
Chacun chez soi 49
Eté 50
Aurore 50
Arc-en-ciel 51
Je suis le vent ! 52
Bonjour maîtresse ! 52
Jeux d'hiver 53
Glaçon 53
Coquelicot, bravo ! 54
Les 4 saisons 54
Printemps 55
Vienne l'été ! 56
Tombe la neige 57

CELA SE MANGE
ET SE BOIT 58

Au Pays de Cocagne 58
Artichaut nouveau ! 59
Petits pois 60
Petit pâté 60
Tout le pain d'épices ! 61
Gros gourmand 61
Pomme et pomme 62
De la tisane 62
Pas de bonbons ! 62

DES HISTORIETTES 63

Deux bavardes 63
Chacun son tour ! 64
Oh ! la vilaine fée ! 65
Des maths ! 66
Du thé ! 67
Cœur de fée 67
La cloche 68
Noces ! 68
Oh ! les couettes ! 69
Punition 69

DES MOTS POUR RIRE 70

Qui suis-je ? 70
Comme chicotin 71
Loufoqueries ! 71
Bonhomme de neige 72
Foufou 72
Sac à malice 73
A l'aide ! 74
Non merci ! 74
Qui est polyglotte ? 75
Ton ami t'attend ! 76
Bêtises ! 76

COMPTINES CHANTÉES ... 77

Cruche ! 78
Charivari 80
Désordre 82
Grand comme ça ! 84
La pluie 86
Premier avril ! 87
Ecoutez bien ! 88
Chez moi 90
C'est mon petit chien 91
Ça roule ! 92

Laboratoire de Didactique
du département des Sciences de l'Éducation
de l'Université du Québec à Hull

Dépôt légal : 4e trimestre 1978 – N° d'édition : F 78085 – ISSN 0336-2907 – ISBN 2-215-00235-2
Imprimé en France par Pollina - 85400 Luçon - N° 2510